D1509559

La historia de Ernesto

Premio de Literatura Infantil
de la Generalitat de Cataluña 1985

Mercè Company

Ilustraciones de J. M. Lavarello

ediciones **sm** Joaquín Turina 39 28044 Madrid

Colección dirigida por **Marinella Terzi**

Primera edición: mayo 1986
Novena edición: marzo 1995

Traducción del catalán: Mercè Company

Título original: La història de l'Ernest
© Pilar Molina Llorente, 1983
   Ediciones SM
   Joaquín Turina, 39 - 28044 Madrid

Comercializa: CESMA, SA - Aguacate, 43 - 28044 Madrid

ISBN: 84-348-1929-5
Depósito legal: M-10684-1995
Fotocomposición: Grafilia, SL
Impreso en España/Printed in Spain
Orymu, SA - Ruiz de Alda, 1 - Pinto (Madrid)

*A Ramón Sampere y Joaquín Usandi-
zaga, y a todos los que, como Ernesto,
han vivido una historia parecida.*

HOY es un día muy importante
para Ernesto:
va a celebrar con sus padres
el DÍA DE SU LLEGADA.
Y, una vez más,
le contarán su historia.

EL chico,
—seis años,
pelo revuelto,
sonrisa ancha—
corretea excitado
por el piso.
Su madre, a duras penas
ha logrado que se vista
y se beba la leche
de un sorbo.

Sí, hoy es un día especial.
Sus padres no van a trabajar.
Junto a la puerta
de entrada
aguarda una pequeña canasta
de mimbre.
¡Es para alojar
el regalo de Ernesto!

EL chico lo supo ayer.
Se lo dijo su padre:
—Iremos por un gato
a casa de Javier.
Nos lo da.
Será nuestro regalo
para ti.

Por la noche, Ernesto,
con tantas emociones
casi no ha podido
pegar un ojo.

Ahora aguarda impaciente
a que sus padres
terminen de arreglarse.
Les grita:
—Venga, ¡vámonos ya!

JAVIER

ya los estaba esperando;
los saluda
afectuoso y cordial
y los conduce a la terraza.
Entre dos macetas,
encima de una estera rota,
se apelotona
un puñado de pelos grises
de los que emergen,
suplicantes y asustados,
dos ojillos amarillos.

Javier coge la bola peluda
con mucho cuidado.
Es tan pequeña
que cabe en el hueco
de la mano.
—Es una gata –explica–.
La encontré en la calle,
debajo de un coche.
Se ve que la abandonaron.
Tiene un hambre feroz.
Como veis, es un puro alambre,
todo barriga y orejas.
Pero si la cuidáis y la queréis,
se os pondrá preciosa.

ERNESTO no dice nada,
sólo tiene ojos para la gata.
Para él es la gata
más hermosa del mundo.
Y le susurra:
—Bonita, gatita preciosa...

CAMINO de casa,
el chico insiste
en llevar él la cesta de mimbre.
Camina satisfecho,
sintiéndose feliz
e importante.

De pronto,
al pasar frente a una juguetería,
se detiene y pide:
—Quiero comprarle un regalo
a mi gata;
así verá cuánto la quiero.

18

Su padre le revuelve el cabello
y dice:
—Me parece bien;
la gata tiene que saber,
cuanto antes,
que será muy querida.
Entran en la tienda.
Después de mucho mirar
y dudar,
Ernesto se decide
por un ratón de goma que,
al apretarle la barriga, chilla.
El niño ríe:
—Fíjate, mamá, qué hace.
¿Crees que le gustará?

PARA el almuerzo
su madre ha preparado
los platos preferidos
del chico:
arroz con huevo
y lomo empanado.
¡Y para beber, naranjada!

A la hora de la tarta,
una gran tarta de chocolate,
y antes de soplar las cinco velas,
el padre descorcha
una botella de champán.
—Papá, ¡que haga pum!
Y el tapón de corcho
sale con la fuerza
de una minúscula bala
de cañón,
dejando tras de sí
un bordado de espuma.

El chico aplaude y ríe:
—¡Yo quiero, yo quiero!
Su madre escancia unas gotas
en la copa fina y estrecha
y la acerca al niño:
—Sólo un poquito,
aún eres pequeño, Ernesto.
¡Y deja la gata en el capazo,
que tenemos que brindar!

La gata,
que ronroneaba feliz
en el regazo del niño,
protesta débilmente
al verse en el cesto.

EL padre y la madre,
con los ojos brillantes,
levantan sus copas.
Sonríen, miran al niño
y exclaman:

—¡Por el DÍA DE LA LLEGADA!,
Ernesto.
Hoy hace cinco años
que llegaste a casa.
¡Por ti, hijo!

24

LAS copas tintinean,
y el chico brinda
con tanto ímpetu
que casi derrama
la de su padre.

Los tres ríen y beben.
Luego, Ernesto coge un trozo
de tarta y,
con la boca llena, pide:
—Venga, mamá, cuéntame ya
mi historia.
—Más tarde, hijo, siempre lo hacemos
después de comer.
¿No te acuerdas?

YA es la hora del café.
El padre y la madre
toman asiento
en los cómodos sillones
del comedor.

CADA año,
desde que adoptaron a Ernesto,
celebran por todo lo alto
el aniversario del día
en que lo fueron a buscar.

Y también
cada año
le explican al chico
lo que él llama «mi historia».
Ernesto nunca se cansa
de escucharla,
y a medida que se hace mayor
añade nuevas preguntas.
Ahora,
sentado en las rodillas
de su madre,
con la gata en brazos,
se dispone a escuchar
con toda atención.

Y la madre empieza...

—HACE muchos, muchos días,
había un señor y una señora
que se amaban.

Se querían mucho
y de este amor
nació un niño.
—¡Yo! –interrumpe el chico.
—Sí, tú,
y te pusieron de nombre
Ernesto.
Pero este señor y esta señora
no podían hacer de padres
ni te podían tener con ellos.
—¿Por qué? ¿No me querían?
—Sí que te amaban,

pero para hacer de padres
no basta sólo con amar.
Hacer de papá y mamá
es, también,
limpiarte los mocos,
anudarte los cordones
de los zapatos

y sostenerte la mano
cuando la caquita sale dura.

ES ponerte supositorios
si te duele la tripa
o tienes fiebre
(¿te acuerdas
cuando tuviste paperas?).

Y es llevarte a la escuela
e irte a buscar.
Es darte unos pequeños azotes,
y reñirte
si te portas mal
o haces travesuras.
Es llevarte al médico de los pies
para que te haga las plantillas.
Y enjugarte las lágrimas
cuando te peleas
con los amigos.

EL niño la escucha
con los ojos muy abiertos.
El padre, mientras,
parece muy atareado
llenando de tabaco la pipa.

La madre continúa:

—HACER de papá y de mamá
es, también, pensar
en las cosas que has de comer
para que crezcas sano y fuerte.

Es jugar contigo,
mirar juntos los libros
de cuentos
y contarte historias.
Es tener siempre lleno
el bote de las galletas.

Es consolarte por la noche
si una pesadilla
te visita durante el sueño.
Es darle un beso al chichón
o al arañazo de la rodilla
(ya sabes que los besos
de los papás lo curan todo).

Y es amarte cada día,
y amar las cosas que haces
y deshaces
(que menudo diablillo
estás hecho),
aunque a veces
nos hagas enfadar.
Y ayudarte en todo aquello
que a ti te cuesta hacer.

Y enseñarte a querer tu barrio
y a tu gente.
Y que aprendas las cosas
que te harán,
de mayor,
un chico responsable y serio.

Y darte seguridad,
y que sepas que siempre,
pase lo que pase,
nos tendrás a tu lado.
Todo esto, Ernesto,
es hacer de papá y mamá.

LA madre ha hablado
en voz bajita,
en el mismo tono que usa
cuando le susurra:
«Buenas noches, querido,
que tengas felices sueños».
Ernesto ha quedado pensativo.
Luego,
mirándola abiertamente,
pregunta:
—¿Y aquellos señores
no querían hacer todo esto
por mí?

—NO es que no quisieran
–responde el padre–,
es que no podían.
Porque para tener un hijo
no basta con tener dinero
y una casa en donde vivir.
Es necesario
disponer de tiempo,
y de la posibilidad
de estar con él,

de poderlo educar
en un ambiente donde el hijo
crezca feliz y seguro.
Y también, vencer
nuestros propios egoísmos
de adultos.
Y no es nada fácil, ¿sabes?
A veces hay que renunciar
a muchas cosas
para ser padres.
¿Lo entiendes?

ERNESTO baja la cabeza,
piensa en lo que le han dicho
y se encoge de hombros:
—Bueno, sí, un poquito.
Pero ¡venga!, explícame ya
lo que tú y mamá hicisteis.
—Pues bien,
cuando aquellos señores
tuvieron un niño –tú–,
el médico nos dijo
que nosotros nunca podríamos
tener un hijo,
aunque nos amábamos mucho,
porque hay algo
en nuestros cuerpos
que no funciona.

44

Esto nos entristeció mucho,
ya que tanto mamá como yo
deseábamos un hijo.
Y teníamos tanto amor
que decidimos adoptar uno.

—¡Yo! —vuelve a saltar Ernesto.
La madre sonríe
y le acaricia la mejilla:
—Sí, tú,
pero déjame continuar.
—Sí, sí...
—Entonces fuimos a visitar
diferentes Casas de Niños
—prosigue la madre—.
Hablamos con muchas personas,
las que atienden esas casas.
—¡Y allí os esperaba yo!
Ernesto tiene los ojos brillantes.
Ahora viene la parte
que más le gusta.
—Sí, allí nos esperabas.
Porque aquellos señores
que no te podían tener
te llevaron a donde sabían
que irían unos padres a buscarte.

—¿Y lo de mi habitación?
Explícamelo ya.
—Pues cuando empezamos
a pensar en ti,
papá y yo pintamos tu habitación,
compramos la cama
y el armario...
—¡Y la mesa con la lámpara!
–interrumpe el niño.
—Para que pudieras dibujar.

Y la abuela Rosa te trajo...
—El muñeco grande,
y el tío Ferrán las construcciones,
y la tía Marga la pelota
–concluye Ernesto.
—Sí, todos preparamos
tu llegada a casa
con toda nuestra ilusión.

Hasta que llegó el día
en que nos llamaron
para que fuéramos a buscarte.
Hoy hace cinco años.
—Y el oso peludo
lo compró papá por el camino,
¿verdad?
—Sí –responde el padre–,
quería que fuera
nuestro primer regalo
para ti.
—Yo quiero mucho a mi oso
–asegura solemne el chico–.
Cada noche duermo con él.
Pero, venga, continuad,
¿qué hice cuando os vi?
¿Era guapo?

La madre le coge la cara
con las dos manos
y le planta un beso
en la punta de la nariz.
—¡Eras precioso!
Llevabas un jersey
y unos pantalones de punto,
aquellos que todavía
guardamos.

Y cuando te cogí en brazos...
—¡Se me soltó la tripita!
—grita riendo el niño,
que se sabe la historia
de memoria
pero le encanta escucharla
de nuevo.

—Sí —ríe también la madre—,
oímos «peeef» y ¡anda, hijo,
que te quedaste
bien descansado...!
Los tres ríen recordándolo.

El niño pregunta:
—Todavía no andaba, ¿verdad?
—No, sólo gateabas.
Los primeros pasos
los diste ya en casa.

A las risas sigue
un amable silencio.
El chico tiene la cabeza gacha,
parece preocupado.
De pronto, murmura:
—Mamá... a mí...
a mí me hubiera gustado más
estar en tu barriga.

El silencio aletea
como una mariposa asustada,
hasta que la voz de la madre
lo aleja suavemente:
—Mira, lo más importante
para un hijo
es saber
que ha sido amado y deseado
desde el primer momento
en que se ha pensado en él.

Y tú lo has sido.

Todavía no te conocíamos,
y ya preparábamos tu llegada.
Hablábamos de ti,
nos preguntábamos cómo serías,
qué cosas haríamos,
cómo te educaríamos.
Hicimos lo mismo,
hijo,
que si hubieses estado
dentro de mí.
Para nosotros,
para nuestro amor hacia ti,
no tiene la menor importancia
que nos esperases
en otro sitio.
Lo importante es que ahora
ya estamos juntos
y nos queremos.
¿No te parece
que esto es lo que cuenta?
—Pero...

EL chico frunce las cejas
e insiste.
Insiste
porque quiere estar muy seguro.
—¿Tú y papá me querréis siempre,
igual que si hubiera estado
en tu barriga?
—¡Claro, tanto o más,

porque a nosotros nos costó
mucho más tenerte!

Y si fuimos a buscarte
fue porque te queríamos amar.
Por eso, aquí, en casa,
el DÍA DE TU LLEGADA
es un día de fiesta grande.
—Y papá es mi papá-papá
y tú, mi mamá-mamá,
¿verdad?
—Y tú nuestro hijo-hijo.

Te queremos, y a veces te reñimos,
como hijo nuestro que eres.
Somos una familia de verdad.
—Y no...
no me dejaréis nunca, ¿eh?
Los padres se echan a reír
y el padre exclama:
—¿Dejarte? ¡Nunca!
Tú nos dejarás a nosotros
cuando una buena moza
te haga «tilín».

AHORA, la mamá lo sujeta
afectuosamente por los brazos.
—Bueno, por hoy
ya es suficiente.
Ahora ve al lavabo,
haz pis y lávate las manos.
¡Y no vuelvas a agujerear
el jabón
o te doy unos azotes, diablillo!
Y apresúrate,
que llegaremos tarde al cine.

EL niño baja de un salto
del regazo de su madre.
La gata,
que dormitaba feliz,
maúlla asustada
por ese brusco despertar.
Ernesto la estrecha con fuerza
y la llena de besos.

De pronto, su cara se ilumina:
ha tenido una idea;
se acerca a su padre y le dice:
—Papá, de la misma forma
que vosotros
me habéis adoptado a mí,
yo también puedo adoptar la gata.
Porque es una gatita
muy querida y deseada.
Hace mucho tiempo
que os pedía tener una.
El padre sonríe
y le pinza ligeramente la nariz:
—Sí, claro que sí,
y ya verás cómo llegarás a quererla.
Entonces Ernesto mira a su padre
por encima del hombro,
y con aires de suficiencia exclama:
—¡Anda! ¿Pero qué dices?
¡Si ya la quiero mucho...!
¡Uf!, muchísimo, muchísimo...